D0998636

ADIVINHA

QUANTO EU GOSTO DE TI

Para Liz com amor,
A. J.

Título: Adivinha Quanto Eu Gosto de Ti
Título original: Guess how much I love you

Tradução do inglês: José Oliveira

Publicado originalmente em 1994 na Grã-Bretanha
por Walker Books Ltd.
Guess How Much I Love You™
é uma marca registada
de Walker Books Ltd., London

(7.ª edição)
Impresso e acabado na China
Depósito legal n.º 209 768/04
ISBN 978-972-21-1624-4

Editorial Caminho, SA
Uma editora do grupo Leya
Rua Cidade de Córdova, 2
2610-038 Alfragide — Portugal
www.caminho.leya.com
www.leya.com

ADIVINHA QUANTO EU GOSTO DE TI

Escrito por
Sam McBratney

Ilustrado por
Anita Jeram

CAMINHO

A Pequena Lebre Castanha, que se ia deitar, agarrou-se bem agarrada às orelhas muito compridas da Grande Lebre Castanha.

Quis ter a certeza de que a Grande Lebre Castanha estava a ouvir.

– Adivinha quanto eu gosto de ti – disse ela.

– Ora bem, acho que não consigo adivinhar isso – disse a Grande Lebre Castanha.

– Gosto assim – disse a Pequena Lebre Castanha, esticando os braços o mais que podia.

A Grande Lebre Castanha tinha uns braços ainda maiores.

– Mas eu gosto de TI assim – disse ela.

«Humm, é muito», pensou a Pequena Lebre Castanha.

– Gosto de ti
esta altura
toda – disse
a Pequena
Lebre
Castanha.

– E eu gosto
de ti esta
altura toda
– disse a
Grande Lebre
Castanha.

«É mesmo alto»,
pensou a Pequena
Lebre Castanha.
«Quem me dera
ter uns braços
assim.»

Então a Pequena
Lebre Castanha
teve uma boa
ideia.
Fez o pino,
encostada
ao tronco
muito
esticadinha.

– Gosto de ti
até às pontas
dos pés! –
disse ela.

– E eu gosto de
ti até à ponta dos
teus pés – disse a
Grande Lebre
Castanha, fazendo-a
girar por cima
da cabeça.

– Gosto de ti
até onde eu
consigo SALTAR! –
riu-se a Pequena
Lebre Castanha,

dando pulos

e mais pulos.

– Mas eu gosto de ti até onde eu consigo saltar – sorriu a Grande Lebre Castanha, e saltou tão alto que as orelhas tocaram no ramo da árvore.

«Isto é que
é saltar»,
pensou a
Pequena
Lebre
Castanha.
«Quem me
dera saltar
assim.»

– Gosto de ti o caminho todo até ao rio – gritou a Pequena Lebre Castanha.

– E eu gosto de ti até depois do rio
e dos montes – disse a Grande
Lebre Castanha.

«É muito longe», pensou
a Pequena Lebre Castanha.
Tinha tanto sono que já
quase nem conseguia pensar.

Então olhou para além das moitas,
para a grande noite escura.
Nada podia ser mais longe
do que o céu.

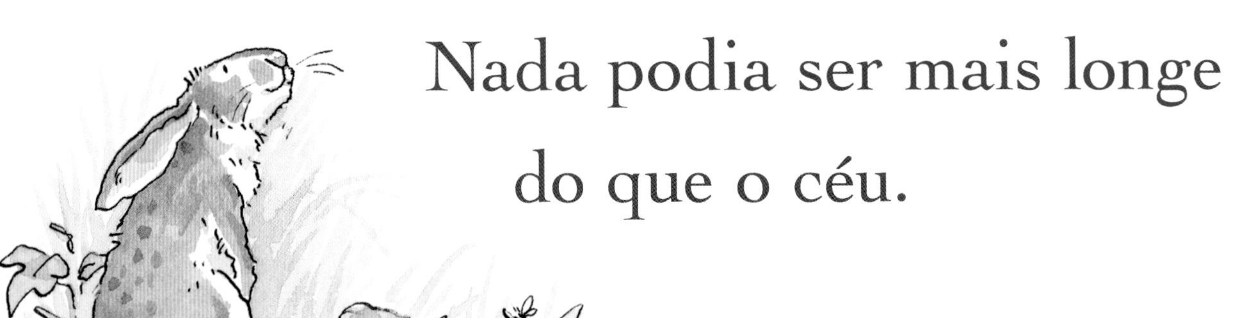

– Gosto de ti até à
LUA – disse ela,
e fechou os olhos.

– Ora, se isso é longe –
disse a Grande Lebre
Castanha. – É mesmo,
mesmo longe.

A Grande Lebre Castanha
deitou a Pequena Lebre
Castanha na caminha de folhas.

Inclinou-se e
deu-lhe um beijo
de boas noites.

Depois deitou-se muito pertinho
e murmurou sorrindo:
– E eu gosto de ti até à Lua...

E DE VOLTA ATÉ CÁ ABAIXO.